WITHDRAWN

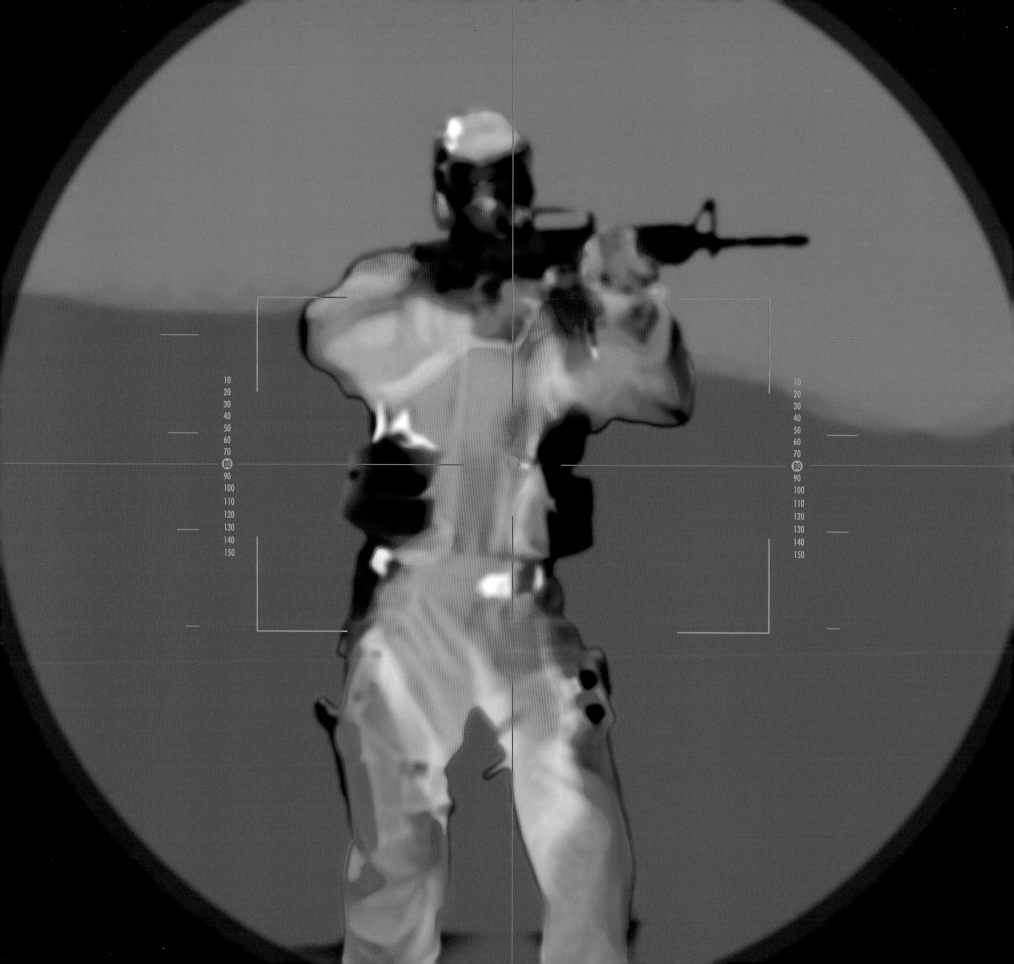

ANNE-MARIE THOMAZEAU

LES MÉTIERS DE L'EXTRÊME

RACONTÉS AUX ENFANTS

Sommaire

Introduction

Guide de haute montagne escaladant des sommets enneigés ou plongeur évoluant au fond des mers, coureur automobile lancé sur un circuit à plus de 300 km/h, torero affrontant un taureau fougueux dans l'arène, trapéziste se jetant dans le vide pour effectuer un ultime saut de l'ange ou artificier imaginant un spectacle féerique de sons et lumières, ils ont fait de leur passion un métier. Pour nous offrir du rêve, ils n'hésitent pas à se mettre en danger.

Ils sont pêcheurs, coursiers, laveurs de buildings, bûcherons, travailleurs du nucléaire... Certains partent en mer sur des plates-formes pétrolières assaillies par les tempêtes, d'autres creusent sans relâche les entrailles de la Terre pour extraire des minerais précieux... Pour gagner leur vie, ils manquent de la perdre à chaque instant.

Militaire, garde du corps, espion, policier chargé de traquer les terroristes... Pour que nous puissions vivre en sécurité, ils prennent tous les risques !

Médecins, grands reporters, pompiers, démineurs, pilotes d'hélicoptère ou de chasse, secouristes... rien ne leur fait peur. Ni les tremblements de terre, ni les guerres, pas même les virus les plus dangereux du monde !

Ces hommes et ces femmes, ces héros très discrets, nous avons souhaité vous les présenter. Ensemble, partons à la découverte de 32 professions pas comme les autres...

Des métiers de l'extrême...

Encordés et solidement harnachés, les cordistes escaladent les façades des plus hauts gratte-ciel du monde pour nettoyer des milliers de vitres. Vertige interdit. ▶

Cordiste : il escalade les façades

LE MOUSQUETON, UN FIDÈLE ANNEAU DE PROTECTION.

Qu'est-ce qu'un cordiste ?

C'est celui qui utilise des cordes, des harnais et des mousquetons* pour escalader les façades. Il peut être peintre, maçon, couvreur ou soudeur, formé à l'alpinisme et aux travaux d'accès difficile.

Que fait-il ?

Il nettoie les milliers de vitres des 5 137 gratte-ciel de New York, des 6 943 bâtiments de plus de 152 mètres de Hong Kong, de ceux de Singapour, Rio de Janeiro, Paris…, installe les illuminations de la tour Eiffel ou celles destinées aux pyramides en Égypte. Quand on construit des autoroutes ou des ponts, il grimpe le long des falaises pour installer les filets de protection ou les bâtons de dynamites. Il répare les grues, les toits, installe les pylônes des télécabines en haute montagne.

Gare à la chute.

Le cordiste se déplace à des hauteurs vertigineuses, auxquelles nul engin ne peut accéder. Sur les chantiers, il travaille toujours avec d'autres cordistes, sous la responsabilité d'un chef d'équipe. C'est un métier qui exige une concentration et une attention constantes. Vertige : Interdit. Un faux pas, et c'est la chute.

*Mousqueton : boucle à ressort qui se referme toute seule.

◀ Avec sa lance à incendie, le pompier lutte contre
l'un des dangers les plus redoutables pour l'homme : le feu.

Pompier :
le soldat du feu

Combattre le feu.

Les risques de rester prisonnier des flammes ou asphyxié par des fumées toxiques sont énormes. Pour se protéger, le pompier porte un casque. Il est vêtu d'une combinaison, d'un ceinturon, de gants de protection et de bottes. Il est aussi équipé d'un ARI* qui lui permet d'intervenir sans danger en se protégeant de la fumée et des gaz toxiques. Pour éteindre le feu, le pompier est armé d'une lance qui envoie de l'eau.

Pompiers volants.

Pour les incendies de forêt, on utilise des Canadair, avions bombardiers d'eau capables dans leurs deux réservoirs d'écoper 6 000 litres d'eau en 12 secondes. Ils pompent le liquide dans la mer ou dans un lac à la vitesse de 110 km/h. L'eau est ensuite larguée sur les flammes.

Des accidents fréquents.

Le pilote doit répandre l'eau au plus près du feu et donc voler à basse altitude en frôlant les arbres, les montagnes, confronté à des turbulences souvent très fortes et à des vents violents. D'autre part, en se remplissant d'eau ou en la vidant, l'avion est soumis à une déstabilisation que le pilote doit maîtriser.

UN CAMION DE POMPIER ROUGE COMME LE FEU.

*ARI : appareil respiratoire isolant.

Les mines tuent chaque année des milliers de personnes ▶ dans le monde. Le démineur doit les trouver et les faire exploser avant qu'elles ne deviennent meurtrières.

Démineur : un métier explosif

UNE PERCHE QUI DÉTECTE LES MINES.

Au péril de sa vie.

Chaque année dans le monde, 26 000 hommes, femmes, enfants perdent la vie en sautant sur des mines (engin explosif conçu pour se déclencher au passage d'un être humain). Le démineur, un militaire qui possède une immense connaissance des explosifs, intervient pour tenter de les neutraliser ou de les faire exploser.

Comment fait-il ?

Pour les localiser, le démineur travaille avec un détecteur de métaux, avec des chiens ou des rats dressés à repérer les explosifs à l'odeur. Le démineur doit alors s'en approcher et les désamorcer. C'est-à-dire parvenir à arrêter le mécanisme avec ses mains. Un faux mouvement et c'est la déflagration... et la mort.

Différents terrains d'action.

Le démineur n'intervient pas seulement en zones de conflit : une alerte à la bombe, un colis suspect dans une gare, un obus* de la Seconde Guerre mondiale retrouvé dans un jardin requièrent l'intervention immédiate de ces hommes de terrain. La rigueur, le calme, la patience et surtout la maîtrise de soi constituent la meilleure protection du démineur.

*Obus : projectile rempli d'explosif.

14

*Offrants : ici, les journaux et les
chaînes de télévision.

On le rencontre sur tous les points chauds de la planète.
Il se déplace sous les bombes, dans les camps de réfugiés,
les pays en guerre. Sa mission : raconter, témoigner,
informer au mépris du danger.

Grand reporter : toujours sur le front

Où travaille-t-il ?

Guerre en Irak, camps de réfugiés en Afrique, tremblement de terre à Haïti... le grand reporter arpente tous les points chauds de la planète. Il travaille pour une agence de presse, un journal, une chaîne de radio ou de télévision. Indépendant, il vend alors ses sujets aux plus offrants*.

Quel est son rôle ?

Informer, témoigner des événements qui se produisent, souvent au péril de sa vie. Pour rapporter des images des conflits, pour photographier ou filmer, le grand reporter doit s'approcher au plus près des combats. Muni d'un gilet pare-balles et d'un casque de sécurité, il risque de sauter sur une mine, d'être victime d'un tir de roquette ou de périr dans un bombardement.

Une centaine de reporters meurt chaque année.

Les belligérants, les dictateurs, les gouvernants de pays en guerre redoutent que ces témoins gênants ne rapportent au monde entier les preuves de leurs actes de violences et de barbarie. Certains journalistes sont kidnappés et deviennent les otages de négociations entre États, relâchés en échange d'une rançon ou pire, exécutés sommairement.

CAMÉRA OU MICRO : DES OUTILS
AU SERVICE DE L'INFORMATION.

Il est spécialisé dans l'étude des volcans. Le volcanologue ▶
doit tenter de prévoir les prochaines éruptions
pour éviter les catastrophes.

Volcanologue : sur les bords des volcans

AVEC SON MASQUE, IL NE CRAINT PAS LA CHALEUR EXTRÊME.

Géologue de formation.

Le volcanologue étudie l'histoire des volcans, leur évolution, leur composition et leurs comportements, afin de prévoir les éruptions et d'éviter des catastrophes, car 500 millions de personnes dans le monde vivent près d'un volcan.

Analyser les roches.

Sur les pentes des volcans, il prélève les roches et les gaz puis analyse les échantillons récoltés dans son laboratoire. Pour cela, il passe plusieurs mois par an sur le terrain : au pied du Vésuve en Italie, en Islande près du volcan Eyjafjöll, mais aussi en Amérique du Sud, en Asie et même sur des bateaux au-dessus de volcans sous-marins.

Tenue obligatoire.

Pour s'approcher au plus près du cratère incandescent, il est habillé d'une combinaison ignifugée* qui lui permet de progresser à moins d'un mètre de la lave, dont la température atteint plus de 1 000 °C ! Il porte un casque antichoc contre les retombées de blocs de lave séchée qui pourraient le tuer. Malgré ces précautions, les accidents sont fréquents : en 1991, Katia et Maurice Krafft sont tués au mont Unzen (Japon) par une avalanche de gaz et de lave.

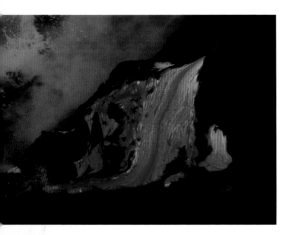

*Ignifugée : se dit d'une matière traitée de manière à résister au feu.

◀ Le métier de pêcheur est l'un des plus durs au monde. Affrontant le vent, le froid, la tempête, le pêcheur sort en mer par tous les temps.

CASIERS ET HAMEÇONS ATTIRENT LES POISSONS.

Marin pêcheur : toujours sur le pont

Le pêcheur a son bateau pour maison.

Il travaille par tous les temps, de jour comme de nuit, soumis à des températures polaires, affrontant des tempêtes et devant résister à des vagues qui peuvent parfois atteindre 10 à 12 mètres de haut.

Un aller-retour incessant.

Son travail : mettre à l'eau des filets, des casiers* et les relever, remplis de poissons. Le marin pêcheur participe aussi à la navigation du bateau, à son entretien. De retour à quai, il décharge les cargaisons et prépare le bateau pour un nouveau départ.

Le métier le plus dangereux au monde.

Chaque année, ils sont 24 000 à périr en mer. D'abord, il n'est pas rare que lors de sa mise à l'eau, le filet entraîne un homme dans sa chute. D'autre part, les accidents de chalutiers sont nombreux : chavirement de l'embarcation, naufrage après avoir heurté un rocher ou une autre embarcation, incendie et même abordage par des pirates ! Ces derniers n'hésitent pas à jeter les marins à la mer.

*Casiers : paniers servant à prendre des crustacés et des poissons.

Sans eux, nous n'aurions pas d'électricité. Les lignards ▶ entretiennent et réparent les lignes à haute tension dans lesquelles passe un courant mortel.

Lignard : un métier sous tension

Sans lignards, pas d'électricité.

Si l'électricité arrive chez vous, c'est grâce au travail des techniciens chargés du fonctionnement des lignes à haute tension, les lignards : ils surveillent et entretiennent les installations électriques afin que le transport du courant soit assuré en toutes circonstances.

Accident de grande ampleur.

Les lignes électriques transportent l'électricité depuis leur lieu de production jusqu'aux grandes villes. Mais qu'un incident se déclare et une ville peut se retrouver paralysée. Ainsi, le 14 août 2003, les États-Unis et le Canada ont connu la plus grande panne d'électricité de leur histoire. 50 millions de personnes se sont retrouvées bloquées dans le métro, les trains et les ascenseurs.

Intervenir dans des conditions difficiles.

Agile, il escalade les pylônes* à plusieurs dizaines de mètres au-dessus du sol. Il travaille parfois sous tension, alors que de l'énergie à 400 000 volts continue à circuler sur le réseau. Un fil mal isolé, une combinaison déchirée, et c'est l'électrocution qui provoque un arrêt cardiaque.

ATTENTION DANGER : LE COURANT ÉLECTRIQUE EST UN DANGER MORTEL.

*Pylône : poteau en fer ou en béton soutenant des câbles électriques ou des antennes.

◀ Ils se battent pour que nous puissions vivre en paix.
Le militaire est souvent confronté à une équation simple :
tuer ou être tué.

Militaire : le sens du devoir

UNE MISSION DE PROTECTION.

Professionnel des armes.

Qu'il exerce dans l'infanterie*, l'aviation ou la marine, qu'il soit officier, parachutiste ou légionnaire, le militaire est entraîné au maniement des armes et doit se maintenir en excellente condition physique pour être opérationnel en cas de conflit.

Plus qu'un métier, une mission.

Il s'agit de défendre son pays et être prêt à mourir pour lui, mais aussi d'intervenir dans certains pays pour arrêter les guerres ou chasser les dictateurs. C'est l'un des métiers les plus dangereux au monde puisque en temps de guerre il repose sur une équation simple : tuer ou être tué.

Des conflits partout dans le monde.

Au cours des dix dernières années, 316 militaires français sont morts, soit plus de 30 par an, ou un mort tous les douze jours dans différentes guerres à travers le monde. Depuis 2001, 300 soldats britanniques ont été tués en Afghanistan. Les États-Unis ont perdu 4 050 hommes dans la guerre en Irak, et des milliers d'autres resteront mutilés et infirmes. Côté irakien, le nombre de soldats morts pourrait atteindre les 20 000.

*Infanterie : armée de terre.

Ils ont choisi de vivre au côté des animaux. Pour le ▶ meilleur... mais parfois pour le pire. Car même dressé par l'homme, un animal conserve toujours son instinct sauvage.

Dresseur : l'instinct animal

Travailler avec des animaux sauvages.

Dresseurs, dompteurs ou vétérinaires travaillent dans un parc animalier, un zoo, une réserve africaine ou un cirque. Leurs activités ? S'allonger devant un éléphant, mettre sa tête dans la gueule d'une lionne, faire voler des aigles au-dessus des spectateurs, diriger un lion, un kangourou, un singe comme acteur pour un film, endormir un animal à l'aide d'une carabine ou d'une sarbacane* afin de le soigner...

*Sarbacane : tube creux dans lequel on souffle pour lancer de petits projectiles.

Les accidents sont nombreux.

Au Kenya, le responsable d'une réserve a été piétiné par une maman hippopotame. À Shanghai, le dresseur d'un zoo a été tué par un tigre du Bengale. Au SeaWorld d'Orlando en Floride, une orque a sauté hors de l'eau et a entraîné une femme dompteur dans son bassin où elle s'est noyée. En Californie, un ours grizzli nommé Rocky a égorgé son dresseur lors du tournage d'une publicité.

Une vigilance de tous les instants.

Un sens aigu de l'observation et la conscience de ses propres limites et de celles de l'animal sont primordiaux pour déceler le moindre changement dans le comportement de celui-ci et anticiper le danger.

◀ Travaillant pour des organisations internationales comme la Croix-Rouge, les médecins humanitaires interviennent dans les pays en guerre pour soigner les victimes.

Médecin humanitaire : au cœur des conflits

Toujours prêt.

Une catastrophe, un tremblement de terre, une guerre... et le médecin humanitaire doit immédiate-ment partir sur un coup de fil de l'organisation pour laquelle il travaille (Nations unies, Croix-Rouge, Médecins sans frontières).

Intervenir sur tous les terrains.

Sur place, il se déplace en pirogue pour rejoindre les blessés, se rend sur un front de guerre pour évacuer les victimes, monte en un temps record un hôpital au fin fond de la brousse ou dans un camp de réfugiés pour soigner et réaliser des opérations chirurgicales.

Risquer sa vie pour celle des autres.

Le médecin humanitaire peut être victime d'une balle perdue, d'une mine ou d'une bombe. Pire, il est de plus en plus souvent l'otage de conflits dans les pays en guerre et la cible privilégiée des terro-ristes. Le 2 juin 2004, 5 volontaires de l'association Médecins sans frontières sont ainsi assassinés en Afghanistan. En 2008, 260 travailleurs humanitaires ont été tués. Et leur nombre progresse d'année en année.

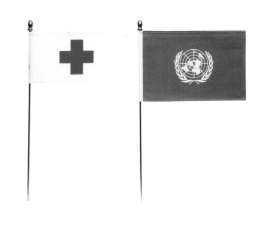

Cascadeur : l'homme qui tombe à pic

Des exploits pour le cinéma.

Sauter d'un pont en voiture, d'un avion en plein vol, se transformer en torche humaine ou passer à travers une fenêtre lors d'une évasion... La plupart du temps, c'est le cascadeur qui remplace (on dit « doubler ») un acteur pour le tournage d'une scène dangereuse. Vêtu et coiffé comme l'acteur, il prend sa place pour les scènes de bagarres, d'accidents, de chutes, d'incendies.

En excellente condition physique.

Le cascadeur est un athlète, un pilote ou un acrobate, rodé aux scènes d'action. Certains sont spécialisés dans les cascades automobiles (tonneaux, dérapages), pyrotechniques (incendies), aériennes (parachutages d'un avion), équestres (chutes de cheval) ou encore les arts martiaux. Les parcs d'attractions les emploient pour leurs spectacles et forment des jeunes à ces métiers. Les fabricants de voitures les utilisent pour faire des essais sur de nouveaux modèles (les crash-tests).

Être concentré.

Cascadeur ne veut pas dire casse-cou. Le métier nécessite d'avoir la tête sur les épaules, de savoir calculer les risques et d'avoir une conscience aiguë du danger.

◄ L'astronaute fait rêver. Il vit la tête dans les étoiles, à des milliards d'années-lumière de notre vie quotidienne.

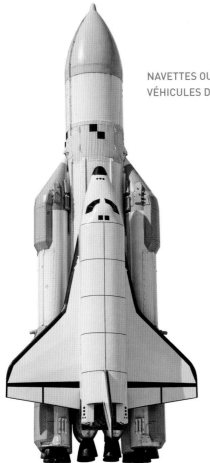

NAVETTES OU VAISSEAUX, LES VÉHICULES DE L'ESPACE.

Astronaute :
la tête dans les étoiles

Risquer sa vie à chaque sortie.

Devenir astronaute exige certaines qualités : être en bonne santé, avoir une endurance à toute épreuve, une grande capacité de concentration et du sang-froid. Car un accident peut toujours arriver et, dans l'espace, il est fatal. Le 26 janvier 1986, la navette américaine *Challenger* explose à 3 200 km/h peu après son décollage, tuant ses 7 occupants. Le 2 février 2003, la navette américaine *Columbia* se désintègre en vol avec ses 7 membres d'équipage.

Un métier qui fait rêver.

Peu d'élus auront la chance de partir un jour sur la Lune. Depuis le premier vol humain (1961), 500 personnes seulement ont acquis le titre d'astronaute.

Expériences spatiales.

L'astronaute est une personne formée à devenir membre d'équipage pendant une mission spatiale. Lors de son périple dans le ciel, il teste de nouvelles technologies et réalise des expériences. Il est donc aussi ingénieur, afin d'effectuer les réparations nécessaires dans les stations spatiales ou les navettes ; médecin ou biologiste*, pour interpréter des données scientifiques. Il sait piloter des robots.

***Biologiste** : scientifique qui étudie les êtres vivants.

À des kilomètres sous terre, le mineur creuse sans relâche. ▶
Inondations, éboulements, coups de grisou menacent sa vie.

Mineur : gare au grisou

AVEC UN CASQUE ET UNE LAMPE, LES GROTTES
N'ONT PLUS AUCUN SECRET.

Qu'est-ce qu'une mine ?

C'est un gisement de matériaux (or, charbon, cuivre, diamants et fer) que l'on exploite. Les plus grandes mines du monde se trouvent en Afrique et en Chine, où 15 millions d'hommes et de femmes exercent le métier de mineur.

Travailler sous terre.

Le mineur doit descendre par un puits très profondément dans le sol pour atteindre des galeries souterraines. Il creuse ensuite la roche pour en extraire le minerai. En bas, la chaleur est étouffante. L'ouvrier doit ensuite charger le minerai dans des bennes qui sont remontées à l'air libre par des grues.

Dangers mortels.

Une benne peut se détacher et écraser les ouvriers. En creusant, le mineur peut déclencher un éboulement. Il est aussi à la merci d'un coup de grisou. Il s'agit de gaz, pour l'essentiel du méthane (très inflammable), qui s'échappe des couches de charbon et qui au contact d'une étincelle ou simplement de l'air peut provoquer une explosion violente. En Chine, 2 600 ouvriers ont été tués en 2009. En Afrique du Sud, 400 mineurs meurent chaque année dans les mines d'or et de diamants.

◄ Le spéléologue explore les entrailles de la Terre à la découverte des rivières et des lacs souterrains.

Spéléologue : voyage au centre de la Terre

Le spéléologue explore les entrailles de la Terre.

C'est une pratique qui demande des connaissances et un équipement adapté : une combinaison, un casque qui le protège des chocs, des bottes pour marcher dans l'eau, parfois jusqu'aux genoux, une lampe, un harnais*, des longes, des mousquetons et des cordes.

Qui fait de la spéléologie ?

Un simple sportif qui exerce cette activité comme un loisir, un scientifique qui étudie la géologie (science de la Terre), la minéralogie (étude des minéraux), l'hydrogéologie (de l'eau souterraine), la paléontologie (des restes fossilisés des êtres vivants), l'archéologie (des outils, des objets, des peintures...), ou un guide qui fait visiter les grottes à des passionnés.

Danger permanent.

Les cavités souterraines sont de véritables labyrinthes dans lesquels on peut se perdre facilement. Les chutes sont fréquentes, notamment lorsqu'on escalade en rappel dans le noir les parois glissantes des roches parfois mortelles.

*__Harnais__ : ensemble des sangles de sécurité qui entoure le corps du spéléologue.

Biologiste : le traqueur de virus

MANIPULATION
HAUTE SÉCURITÉ.

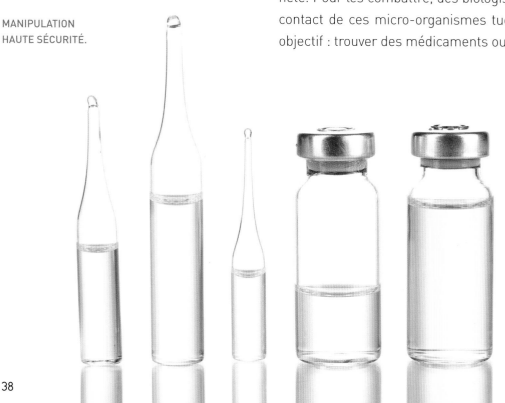

Trouver des remèdes.

Il existe des bactéries et des virus si dangereux qu'ils pourraient décimer la population de la planète. Pour les combattre, des biologistes vivent au contact de ces micro-organismes tueurs avec un objectif : trouver des médicaments ou des vaccins.

Des mesures de sécurité exceptionnelles.

Les salles de recherche sont hermétiques, équipées de portes étanches. Les chercheurs doivent traverser plusieurs sas de décontamination et s'équiper de scaphandres avant d'y pénétrer. Équipés d'un casque et d'un micro pour communiquer avec l'extérieur, ils sont reliés au plafond par un tuyau jaune qui leur apporte de l'air sain. Des caméras surveillent continuellement l'activité du laboratoire. À leur sortie du laboratoire, les chercheurs prennent une douche au phénol* afin d'éliminer tout danger de contamination.

Les risques du métier sont immenses.

À ce jour, un seul accident dramatique est connu dans l'histoire. En 1979, une fuite d'anthrax (germe responsable de la maladie du charbon) en Russie a provoqué la mort de 60 personnes.

*Phénol : désinfectant très puissant.

Dans des laboratoires de très haute sécurité, des biologistes, protégés par des combinaisons et des masques, traquent les virus les plus dangereux du monde.

◀ Dans son cockpit, le pilote de chasse se concentre et augmente sa vitesse. Bientôt il franchira le mur du son dans un bruit de tonnerre.

Pilote de chasse : le chevalier du ciel

Prêt à tout instant.

Le pilote de chasse commande des avions équipés d'armes classiques ou nucléaires. En temps de paix, il contribue à la protection des citoyens contre toute menace aérienne. Il est prêt en permanence à intercepter tout objet volant non autorisé à survoler la zone aérienne du pays. En cas de guerre, il peut être envoyé au combat.

À la pointe de la technologie.

Le pilote doit savoir manier les armements (tirs, missiles et bombes) et appareils électroniques (laser, radar, caméra) qui équipent l'avion. Son métier demande une grande capacité d'adaptation aux nouveaux engins qu'il doit apprendre à maîtriser comme le Rafale, dernier-né des avions de chasse, ultramoderne et sophistiqué.

Une lourde responsabilité.

En temps de guerre, le pilote de chasse risque d'être abattu par un missile ou un autre avion. Et même s'il revient physiquement indemne de ses missions, il doit faire preuve d'un mental à toute épreuve. Car il est amené à tuer ses ennemis bien sûr, mais aussi des innocents comme des enfants. La culpabilité peut le poursuivre des années après la fin d'un conflit.

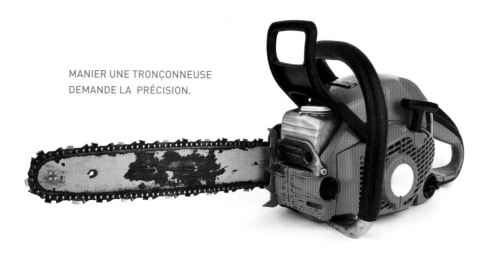

Bûcheron : à l'assaut des cimes

Qui dit forêt dit bûcheron.

Harnaché et pendu par des filins* à la cime des grands arbres, le bûcheron navigue, tronçonneuse à la main, d'un arbre à l'autre. Certains arbres comme les cèdres du Canada peuvent atteindre 40 mètres, la taille d'un immeuble de 10 étages !

Comment abat-on un arbre ?

Le bûcheron utilise une tronçonneuse qu'il place horizontalement contre l'arbre. Lorsque la machine a scié la moitié du tronc, l'arbre penche puis s'écrase avec un grand fracas. Le plus grand risque que court alors le bûcheron est de mourir écrasé sous un arbre de plusieurs tonnes, lors d'une chute incontrôlée pendant la coupe.

De nombreux accidents.

Hissés sur le véhicule avec un câble, les troncs peuvent tomber pendant la manœuvre ou le câble peut se rompre sous le poids des arbres. Dans les pays en développement, beaucoup d'accidents sont liés au manque de sécurité. En Indonésie, par exemple, l'un des plus gros fournisseurs de bois au monde, 2 000 bûcherons sont morts ces dix dernières années. La plupart travaillaient sans gants, sans casque, pieds nus.

*Filin : cordage en acier.

À l'aide de sa tronçonneuse, le bûcheron accroché sur un tronc à des mètres de hauteur doit couper l'arbre.

***Tauromachie** : du grec *tauros*, « taureau », et *makheia*, « combat ».

Lors d'une corrida, le taureau encorne violemment le torero projeté dans les airs dans son habit de lumière.

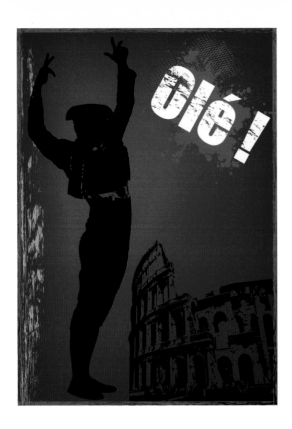

Torero : le combattant de l'arène

L'homme contre l'animal.

Le torero pratique la tauromachie*, le combat contre un taureau à l'issue duquel la bête est mise à mort. Les taureaux de corrida sont sélectionnés parmi les plus fougueux et les plus combatifs de l'espèce. D'un poids d'environ 500 kilos, ils sont toujours dangereux. Élevé dans des conditions d'isolement, le taureau qui entre dans l'arène n'a jamais vu d'hommes à pied (les éleveurs circulent à cheval ou en véhicule). L'objectif est de le faire charger immédiatement à la vue du torero.

Plusieurs sortes de toreros.

Le picador, sur son cheval, enfonce des piques dans le dos du taureau pour tester sa robustesse. Le plus connu, le matador, combat l'animal avec sa cape rouge sous les « olé ! » du public, jusqu'à l'estocade finale, où il plante son épée dans l'échine de la bête.

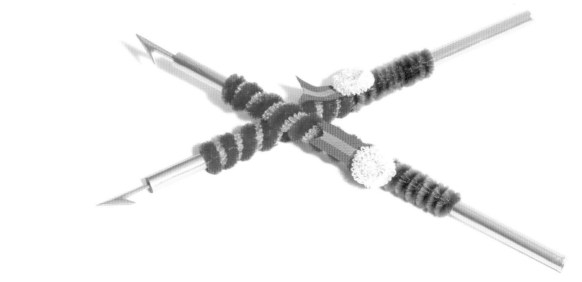

Quand le spectacle tourne au drame.

Un manque de réflexe, de souplesse, une chute, et le taureau encorne le matador. Avec ses cornes qui atteignent jusqu'à 50 centimètres, il peut blesser très grièvement voire tuer son rival. 57 matadors ont ainsi trouvé la mort dans l'arène.

LE MATADOR HARPONNE L'ANIMAL
AVEC SES BANDERILLES.

Coureur automobile : à fond la caisse

EN VOITURE DE COURSE, UN ACCIDENT EST TRÈS VITE
ARRIVÉ.

*Rallye : course automobile en
plusieurs étapes.

Sport de haut niveau.

Un pilote de course est un sportif qui affronte
d'autres concurrents au volant de son automobile.
Il peut être spécialiste d'épreuves sur route comme
le rallye* de San Remo en Italie ou de Monte-Carlo.
Il peut aussi s'engager dans des compétitions plus
aventureuses, comme le Paris-Dakar. En rallye, le
pilote est assisté d'un copilote chargé de l'informer des difficultés du terrain et de l'approche des
virages.

Courses sur circuit.

Un circuit est un lieu fermé, composé d'une série
de virages qui prend fin par une longue ligne droite.
Lors des Grands Prix, les Formule 1 doivent effectuer le plus rapidement possible un certain nombre
de tours de circuits. Lancé à 250 km/h, le pilote
possède des qualités physiques exceptionnelles et
d'excellents réflexes.

Des accidents mortels.

Aujourd'hui, la Fédération internationale de l'automobile est devenue très exigeante sur la construction des voitures et la sécurisation des circuits. Les
pilotes doivent porter un casque intégral pour éviter
les chocs à la tête ainsi qu'une combinaison, des
chaussures et des gants résistant au feu.

L'artificier manie des fusées qui peuvent se transformer
en véritables explosifs. Un vrai travail de précision.

Artificier : pour le plaisir des yeux

L'artificier est un artiste.

Il apprend son métier pendant deux ans auprès d'un maître artificier. Il imagine, dessine et crée un spectacle à partir de différents effets pyrotechniques. Il choisit les produits, les couleurs et met en scène son spectacle. Il évalue les distances, dispose les fusées, détermine le moment favorable au lancement et actionne les mécanismes de mise à feu.

Rien n'est laissé au hasard.

C'est aussi un technicien très rigoureux, car il manipule des explosifs très dangereux. Voilà pourquoi le métier d'artificier est très stressant. Il doit penser en permanence à la sécurité du public et de son équipe.

La pyrotechnie évolue au gré des inventions techniques.

La mise à feu électrique puis électronique a permis de créer des spectacles d'une complexité inouïe et de diminuer les risques. Malgré tout, des accidents parfois mortels sont régulièrement signalés. Le 4 juillet 2010, lors de la fête nationale aux États-Unis sur le campus de Palmyra Middle School en Pennsylvanie, plusieurs feux d'artifice ont été tirés vers le public, provoquant une dizaine de blessés.

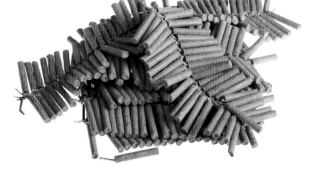

James Bond est sans doute le plus connu de nos espions. ▶
Dans la vraie vie, ces derniers ne se déplacent pas en
voiture décapotable. Leur première qualité : la discrétion.

Espion :
« secret défense »

«TOP SECRET», LE MAÎTRE MOT DE L'ESPION.

Le roi de la discrétion.

De son vrai nom « agent de renseignement »,
c'est un fonctionnaire d'État qui travaille pour les
services de sécurité de son pays au sein de la CIA*
aux États-Unis, du Mossad en Israël, de l'Intelligence Service en Angleterre, de la Direction géné-
rale de la sécurité extérieure (DGSE) en France. Il
est chargé de recueillir pour son gouvernement
des renseignements confidentiels sur un État, une
organisation, une entreprise, de surveiller certaines personnalités.

Chaque espion a ses compétences.

Certains sont spécialisés dans la surveillance,
d'autres dans les interrogatoires. D'autres sont
chargés de recueillir des renseignements auprès de
différents contacts que l'on appelle des « sources ».

Des pratiques pas toujours légales.

Sabotages, cambriolages, intimidations, interrogatoires musclés et même assassinats. Voilà
pourquoi un État ne reconnaît jamais officiellement
qu'il mène ce type d'activités qui doivent rester
secrètes. Aussi, quand un agent se fait arrêter, ses
responsables directs nient le connaître et l'aban-
donnent à son triste sort.

*CIA : Central Intelligence Agency
(Agence centrale de renseignement).

◀ Tempête, vagues de 10 mètres, rien n'arrête le sauveteur en mer.
Sa devise : secourir ou périr.

EN MER, UNE BOUÉE
PEUT SAUVER LA VIE.

Sauveteur en mer : il brave la tempête

Quel est son rôle ?

Porter secours aux baigneurs emportés par le courant ou victimes d'un malaise qui risquent la noyade, mais aussi aux utilisateurs de planches à voile, de surfs ou aux petits voiliers en difficulté.

Relié par un filin.

Pour rejoindre les nageurs en détresse, le sauveteur utilise un filin* dont la longueur varie de 100 à 400 mètres. Enroulé sur une bobine dévidoir, il se termine par une boucle rigide, maintenue à l'aide d'un bout de tuyau d'arrosage que le sauveteur met en bandoulière. Ainsi ses coéquipiers peuvent à tout moment le ramener sur la terre ferme.

Disponible 24 heures sur 24.

Le sauveteur en mer utilise un bateau pour porter assistance aux équipages en difficulté. Un homme à la mer, une voie d'eau sur un bateau, une collision maritime, un échouage, une fusée de détresse aperçue depuis la côte... il doit être prêt à sortir en mer par tous les temps, contre vents et marées. Ce courage, il le paye souvent de sa vie.

Le sauvetage des personnes en mer est gratuit.

Quels que soient le temps passé et les moyens mis en œuvre. C'est une tradition et une règle internationale.

*Filin : longue corde métallique.

53

Chercheurs d'or noir : un trésor dangereux

Des semaines sur une plate-forme de forage au large des côtes.

Le métier des ouvriers et ingénieurs qui y travaillent ? Extraire avec des machines le pétrole qui se trouve au fond des mers et des océans. Une fois le pétrole remonté à la surface, il faut le nettoyer en enlevant l'eau de l'air puis l'acheminer par tanker (navire-citerne) vers une raffinerie qui transformera l'or noir en essence. Entre 150 et 300 personnes travaillent sur la plate-forme : médecins, cuisiniers, femmes de ménage...

Des conditions difficiles.

La plate-forme est semée d'embûches : tuyaux sur lesquels on peut buter, installations électriques dangereuses, vents violents qui la font tanguer comme un bateau. Les conditions climatiques peuvent être extrêmes. Mais le plus gros danger est le risque d'explosion des derricks*.

Marée noire.

En avril 2010, une plate-forme pétrolière a coulé dans le golfe du Mexique, provoquant une très importante marée noire. Au moment de l'explosion, 126 travailleurs se trouvaient sur la plate-forme de Transocean, exploitée par British Petroleum. 17 ont été blessés ; 11 ont été portés disparus.

ILS TRANSFORMENT L'OR NOIR EN ESSENCE.

*Derricks : tours en fer équipées de pompes qui extraient le pétrole sous la mer.

Le pétrole, or noir si précieux à nos sociétés, surgit du sol tel un geyser.

◀ Le plongeur, équipé d'un masque et de bouteilles d'oxygène, évolue dans toutes les mers du monde.

Plongeur : descente dans les grands fonds

Des métiers variés.

Le plongeur est le plus souvent moniteur. Il peut aussi être chercheur en biologie, zoologie* ou aquaculture*. Il descend dans les profondeurs pour effectuer des expériences, faire des comptages d'animaux ou de plantes, prendre des photos.

Des ouvriers spécialisés.

Ils travaillent dans l'industrie portuaire, la construction navale. Un plongeur peut aussi être un professionnel du sauvetage ou du combat. Dans ce cas, il est militaire. Il est chargé du déminage, de la récupération de personnes tombées dans l'eau.

Une activité très risquée.

Les vagues et les courants peuvent projeter le plongeur contre des rochers. Il peut être coincé dans un filet abandonné. Les bombes ou obus datant d'anciennes guerres et restés actifs sont nombreux au fond des mers. Certains animaux (poulpes, requins...) peuvent être responsables d'accidents. Enfin, une descente ou une remontée trop rapides peuvent provoquer une perforation du tympan, une syncope et même la noyade.

LE SCAPHANDRE PERMET D'EXPLORER LES PROFONDEURS DES MERS.

*__Zoologie__ : science qui étudie les animaux.
*__Aquaculture__ : élevage d'animaux aquatiques.

Les secouristes du World Trade Center

L'attentat terroriste le plus tragique de l'histoire.

Le 11 septembre 2001, deux avions d'American Airlines percutent les tours jumelles du World Trade Center à Manhattan, en plein cœur de New York. En moins de trois heures, plus de 200 unités de pompiers du New York City Fire Department (FDNY) sont mobilisées et se pressent sur les lieux du drame.

Les secouristes tentent d'évacuer le maximum de victimes.

Mais à 9 h 59 et 10 h 28, les Twin Towers s'effondrent en direct sur toutes les chaînes de télévision du monde. Parmi les 2 700 victimes de l'attentat du World Trade Center, 343 pompiers de New York et 60 policiers secouristes auront trouvé la mort, brûlés vifs, assommés par l'effondrement des murs ou enterrés vivants.

Gravement intoxiqués.

Tous ces sauveteurs ont inhalé des matières dangereuses provenant des avions, des micro-ordinateurs ou des constructions, comme l'amiante, le kérosène*, le mercure ou le plomb. Depuis le 11 septembre 2001, 360 secouristes seraient décédés de cancers des poumons, du système digestif ou du sang. Des milliers d'autres sont atteints de maladies pulmonaires graves.

*Kérosène : carburant pour les avions.

L'attentat du World Trade Center le 11 septembre 2001 restera un des drames les plus tragiques de l'histoire. Pour avoir voulu aider les victimes, des centaines de secouristes ont payé de leur vie leur dévouement.

◀ Hiver comme été, les guides accompagnent les randonneurs en montagne et veillent à leur sécurité.

AVEC UNE BOUSSOLE, LE GUIDE NE PERD JAMAIS LE NORD.

Guide : l'ivresse des cimes

Un alpiniste professionnel de très haut niveau.

Diplômé d'État, le guide accompagne des randonneurs amateurs dans des excursions à pied, à ski ou des ascensions en cordée*.

Sur tous les sommets du monde.

Au sommet des Alpes, de l'Himalaya, des Andes, escaladant des rochers, des cimes enneigées ou des glaciers, il connaît parfaitement la montagne et veille à la sécurité des touristes dont il a la responsabilité. Dans les stations de sports d'hiver, il déclenche des avalanches de façon préventive, le matin, avant que les pistes de ski ne soient ouvertes aux skieurs.

Le risque zéro n'existe pas.

Tempêtes, chutes, avalanches ont raison chaque année des meilleurs connaisseurs. C'est pourquoi le métier de guide nécessite de maîtriser parfaitement les risques liés à la montagne, à la météorologie, à la roche, à la neige et à la glace ainsi que les techniques d'escalade, de ski et le matériel (cordes, pitons).

La montagne ne fait pas de discrimination.

Alpinistes amateurs ou guides professionnels expérimentés, 210 professionnels ont trouvé la mort en tentant de gravir l'Everest depuis 1922.

*Cordée : groupe d'alpinistes reliés les uns aux autres par une corde.

Pilote d'hélicoptère : aller partout vite !

BIEN HARNACHÉ, LE BLESSÉ PEUT S'ÉLEVER
DANS LES AIRS.

En haute montagne comme en mer.

Le pilote d'hélicoptère peut intervenir pour secourir des gens rapidement dans des endroits reculés où aucun autre moyen de transport aérien, maritime ou terrestre ne peut se rendre. Il est également sollicité dans de nombreux secteurs tels que l'agriculture ou le transport de marchandises.

Transport de voyageurs.

Assister les reporters dans la prise de clichés aériens, accompagner des chercheurs en pleine exploration ou transporter de hautes personnalités : c'est son activité principale.

Seul responsable.

Un pilote d'hélicoptère doit s'adapter à la situation et faire preuve de sang-froid, de prudence et de présence d'esprit, surtout avant le décollage. Il doit minutieusement préparer le vol en étudiant les cartes aéronautiques, en s'assurant du bon niveau du carburant, et en recueillant les informations concernant la région à survoler et les conditions météorologiques.

L'épandage* agricole, facteur d'accidents.

Le pilote travaillant en rase-mottes, à faible vitesse, il risque à tout moment de heurter le sol ou un obstacle comme un câble électrique.

*Épandage : quand on répand du fumier ou de l'engrais dans les champs pour fertiliser le sol.

En mer ou en haut des montagnes, le pilote d'hélicoptère peut atteindre rapidement des lieux inaccessibles par d'autres moyens.

◀ Le trapéziste enchaîne dans les airs des figures et des sauts extrêmement dangereux pour le plus grand plaisir des spectateurs.

VOLER DANS LES AIRS, C'EST POSSIBLE AVEC UN TRAPÈZE.

Trapéziste : le saut de la mort

Spectaculaire.

Le trapèze est le plus dangereux des arts de la piste. Dans l'histoire du cirque, ils sont des dizaines à s'être grièvement blessés ou à avoir trouvé la mort après s'être lancés dans le vide pour faire rêver les spectateurs. Il existe deux écoles de trapèze. Celle où le trapéziste effectue des figures avant d'être rattrapé par un porteur, et la seconde : le trapèze volant.

Le trapèze volant est le plus dangereux.

Le trapéziste s'élance dans les airs pour bondir en direction d'un autre trapèze qui se balance. Le travail de précision est fantastique car si un porteur a toujours la possibilité de s'étirer vers le voltigeur* pour l'attraper, ce qui permet une petite marge d'erreur, le trapèze vide, lui, décrit une trajectoire implacable.

Chute mortelle.

Les trapézistes doivent être parfaitement synchronisés avec le trapèze ou le porteur. Même protégé par la présence d'un filet ou d'un harnais maintenu à la ceinture, le trapéziste est toujours à la merci d'un accident en cas de mauvaise réception.

*Voltigeur : celui qui s'élance dans les airs.

On les appelle les hommes en noir. Ces spécialistes de ▶ l'assaut ont pour mission de traquer les terroristes.

Le GIGN terrorise les terroristes...

CE CORPS D'ÉLITE SAIT MANIER TOUTES LES ARMES.

Décembre 1994.

Des terroristes obligent un Airbus d'Air France en provenance d'Algérie à se poser sur l'aéroport de Marseille Marignane et menacent d'assassiner les 173 passagers si leurs camarades en prison ne sont pas libérés. Le GIGN* passe à l'assaut. Une fusillade éclate. Bilan définitif : les 4 terroristes tués, 3 membres d'équipage blessés, 13 passagers légèrement atteints, et 9 gendarmes touchés.

Spécialistes de l'assaut.

La plupart des grands pays du monde possèdent des unités d'élite comme le GIGN, militaires ou policières, chargées d'intervenir lors des prises d'otages, les détournements d'avions ou les attentats terroristes. Toutes ces unités travaillent ensemble au sein d'Interpol (International Police) qui coordonne les actions antiterroristes à l'échelle internationale.

Qui sont-ils ?

On les appelle les « ninjas » ou les « hommes en noir » parce qu'ils portent des cagoules afin que leur visage ne soit ni reconnu ni filmé. Plongeur, parachutiste, spécialiste des sports de combats, tireur hors pair, le membre des forces antiterroristes gère les pires des situations.

*GIGN : Groupe d'intervention de la gendarmerie nationale.

Témoignages

« Nous voyageons pour des guerres, des faits-divers, des tsunamis, des catastrophes en tout genre. Nous nous retrouvons à partager avec des inconnus ce qui restera sans doute la période la plus tragique de leur vie, exceptionnelle au sens propre du terme. On me demande régulièrement si je rencontre souvent des vedettes, des hommes politiques. La réponse est non. Ce que j'aime, c'est cette humanité nue, ces gens ordinaires confrontés à l'extraordinaire, emportés malgré eux dans la tempête et qui n'auront jamais de statue. »

Florence Aubenas, journaliste
Extrait du livre *Grand reporter* de Florence Aubenas (éd. Bayard, 2009)

« Je me trouvais entre le premier et le deuxième étage quand tout le bâtiment a commencé à trembler. J'ai entendu et senti les vibrations, j'ai compris qu'il s'effondrait. Puis j'ai commencé à entendre les étages tomber les uns après les autres, l'un après l'autre comme des crêpes. »

Lieutenant Jim McGlynn
(extrait du Récit de *Ground Zero* de Dennis Smith, 2003)

« J'ai failli laisser ma vie à Calgary ! Pour le film Le Ruffian en 1983, nous tournions sur les Wapta falls, grosses chutes d'eau. Je devais sauter hors du canoë avec un câble. J'ai été obligé de faire ma cascade de plus en plus loin du bord. En sautant, le câble est resté coincé... Ils ont eu beaucoup de mal à me récupérer. Le fait d'avoir quelques années de rugby derrière m'a bien servi. »

José Giovanni, cascadeur
LaDepeche.fr, le 28 décembre 2006

« À 3 ans, j'étais sur des skis, à 12 je faisais de la randonnée, à 14 j'escaladais des murs ou des falaises équipées. La montagne, c'est un immense terrain de jeux qui nous dépasse, où il faut évoluer avec humilité, être en permanence sur ses gardes. J'emmène mes clients sur le mont Blanc mais à l'occasion, je travaille aussi en Italie ou en Suisse. Les gens sont comme des tiroirs que tu ouvres : parfois il n'y a rien mais parfois c'est fabuleux. Tu lies alors là-haut des amitiés. »

Raphaël, guide de haute montagne
www.imaginetonfutur.com/Raphael-24-ans-guide-de-haute-montagne

« Le problème c'est que même en étant très vigilant
aux règles de sécurité, les pires ennuis peuvent t'arriver.
Je me rappellerai toujours la fois dans les cavités
de la source du Durzon. Après seulement 10 minutes
de plongée, mes phares principaux sont tombés
en rade de batteries. Allumage des phares de secours,
demi-tour et panne des 2 phares de secours.
Résultat, plus de 100 m dans le noir à tenir
amoureusement le fil d'Ariane. Ce fût un immense
soulagement de revoir la lumière du jour. »

Stéphane, spéléologue
www.davidmanise.com/forum, le 11 janvier 2008

« Manipuler des matières explosives comporte des dangers, il ne faut pas se le cacher. Une bombe où
de l'électricité statique s'est accumulée peut exploser si elle reçoit un choc. Il faut aussi toujours s'assu-
rer que les tisons n'incendieront pas les maisons ou les champs avoisinants. On élimine presque tous les
risques en respectant les réglementations prescrites. Personnellement, je n'ai jamais eu d'accident…,
mais j'ai perdu un ami il y a quatre ans lorsqu'une bombe a explosé dans l'entrepôt où il travaillait. »

Isabelle Deslandes, artificière
Magazine Jobboom, Vol. 3 N° 3, printemps-été 2002 par Sandra O'Connor

« La première des règles
est de ne pas avoir peur,
car les tigres le ressentent
et peuvent devenir agressifs. »

Roger Falck, dompteur de tigres
LaDepeche.fr, le 19 mars 2008

« Aujourd'hui, diriger un avion demande plus de finesse que de force physique. Mon quotidien est fait
de vols d'entraînement, reproduisant (le stress en moins) les véritables missions que je devrai remplir en
temps de guerre : reconnaissance et prise de vues des terrains, mais aussi tir sur des avions ennemis. »

Virginie Guyot, pilote de chasse
Le journal des femmes (www.linternaute.com), le 24 janvier 2005

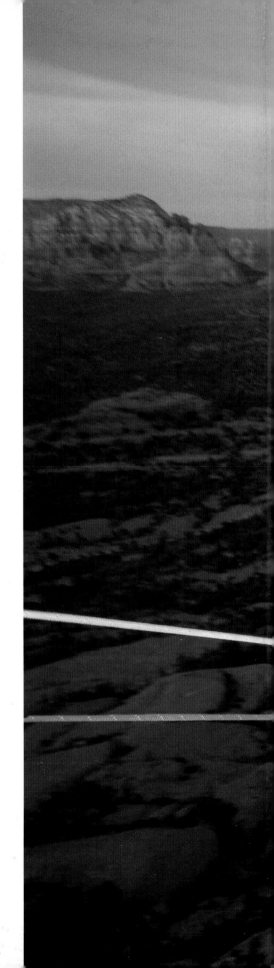

CRÉDITS PHOTOS

(h) haut, (b) bas, (d) droite, (g) gauche, (m) milieu

Mise en pages : **Audrey Hette**

Conforme à la loi n° 49-956 du 16 juillet 1949 sur les publications destinées à la jeunesse.
© 2012, Éditions de La Martinière, une marque de La Martinière Groupe, Paris
ISBN : 978-2-7324-5437-5
Dépôt légal : août 2012
Imprimé en France en juillet 2012 - L61290

www.lamartinierejeunesse.fr
www.lamartinieregroupe.com